W9-CTD-772

喜羊羊与灰太狼
Pleasant Goat and Big Big Wolf

12 寻宝记

童趣出版有限公司编　　　人民邮电出版社出版
北京

主要人物介绍

喜羊羊
族群里跑得最快的羊，乐观、好动，永远带着微笑。他总能识破灰太狼的阴谋诡计，拯救羊羊族群的生命，是羊氏部落的小英雄。

美女羊，心灵手巧。她还是营养学家、美容师、模特儿……一切与"美"有关的事她都精通，是大家跟风模仿的对象。

美羊羊

懒羊羊
最聪明的小肥羊之一，最喜欢的运动是睡觉。他聪明机智，而且临危不乱，总是一副大智若愚、举重若轻的样子。

最健壮的羊，也是最鲁莽的一只羊。经常是一副很酷的样子，总爱持反对意见，以为自己英伟不凡、天下无敌，其实很多时候都无能为力。

沸羊羊

慢羊羊
羊村村长，最年长的羊。博览群书，平时最爱搞小发明，是个乌龙发明家，但危急时又能派上用场。动作总是慢吞吞的，常把身旁的羊急死。

暖羊羊的心肠跟她的名字一样，充满阳光和温暖。重量级的身躯和无比善良的性格展现出来的魅力，总是让人大跌眼镜。

暖羊羊

灰太狼
住在青青草原对面的森林里，是个"聪明"又倒霉的坏蛋，爱钻研抓羊技巧，一有机会就去骚扰羊部落。他永远想偷羊吃，却永远被羊羊们打败。

灰太狼的老婆，贪婪、虚荣、狠毒。虽然长得一般却总打扮得华丽高贵，自以为天下最美。总是逼着灰太狼去抓羊，自己却坐享其成。

红太狼

肥蕉
灰太狼的侄子，外表冷漠，内心善良。因偶然的机会和暖羊羊成为好朋友。保持素食是肥蕉的生活理念，吃更大一些的香蕉是肥蕉的终身追求。

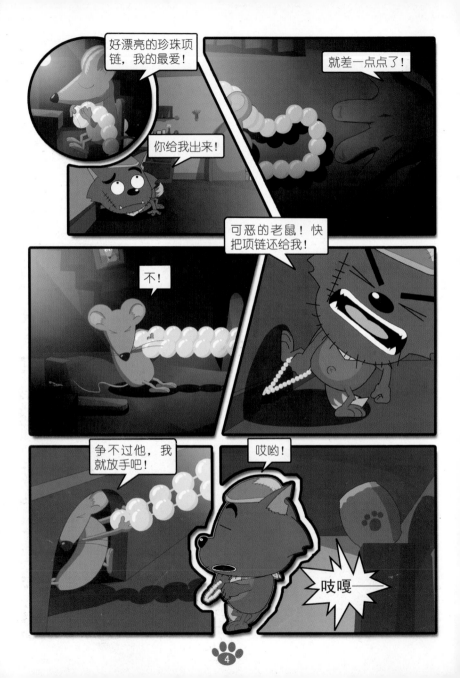

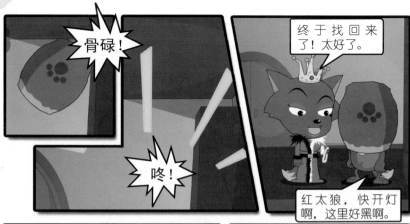

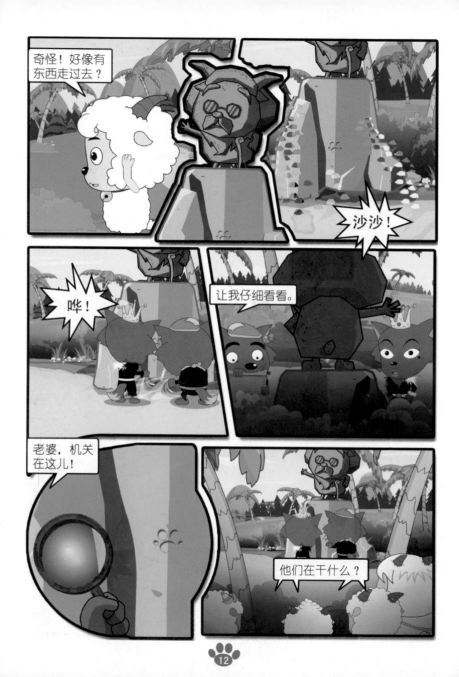

西瓜开门，不对，是芝麻开门！

芝麻开心。不对！芝麻开门！

轰！

门开了！门开了！我们找到宝藏了！

声音那么大，怎么没看到有秘道呀？

老公，我们赶快进去吧！

怎么会有条秘道在外面？

听灰太狼说好像是有宝藏呢！

这么说灰太狼是要拿回这些遗产。

我看还是让村长来做解说吧。

很久以前，武大狼在羊村内临终前，把他的遗产留在了这里。

要不我们去看看？

遗产都有些什么呀？

这个，我也不太清楚。

好啊！！！

刷！

我怎么感觉老是在同一个地方转呀？

是吗？那借你的口红用一下。

你用口红干吗？

岂有此理！我的口红很贵的。

自画像，怎么样？

又走了好久啊！

呀！不！

好吓人啊！

这里没有路了，是死胡同。

这里有特殊的机关，大家先趴下。

嘀！

轰！

幸好！幸好趴下了。

哇！门开啦！

我们忘趴下了……

我也想知道！

里面到底装了什么东西呢？

难道会是……

狼吃荤的。要是食品，肯定是肉。

我想一定是好吃的。

匣子里是一封遗书。

"我的子孙启……我武大狼，贵为狼族统领……"

"专门除弱扶强，征战沙场，掠地无数。"

"我曾拥有无数财富，无奈客死异乡。"

"唯有立此遗嘱把我的'狼族统领'称号留给我的继承人，还有我的巨额账单。"

什么巨额账单？

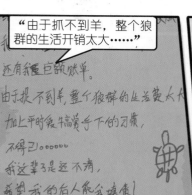

"由于抓不到羊，整个狼群的生活开销太大……"

还有一堆巨额账单。

由于抓不到羊，整个狼群的生活费太大

加上平时爱犒赏手下的习惯，

不得己……

我这辈子是还不清，

希望我的后人能会填债！

我的�遗给我的继承人！

还有一堆巨额账单。

由于抓不到羊，整个狼群的生活费太大

加上平时的……

不得己……

将这辈子是……不清

让我的后人……填债！

加上我平时爱犒赏手下，不得已……唉，我这辈子都还不清的债，希望我的后人帮我偿还。

老婆，遗嘱上写着宝箱打开后就不能动了，否则就会爆炸。

啊！岂有此理！！！

会爆炸？！

轰！

怎么会是这样的结果？！

完

24

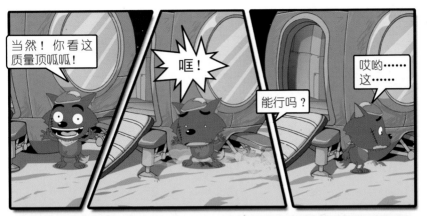

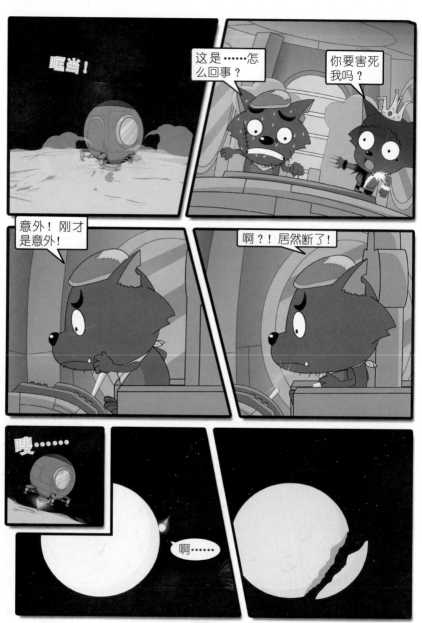

老公啊，我盼这一天盼了好久了。

我也喜欢跟老婆一起看月亮。

哎哟！

谁要跟你看月亮？！今天是月圆之夜。

晕……晕……

自然少不了我们伟大狼族的嚎叫啦！

我可是憋了好久的，今晚一定要叫个痛快。

以前十五不是为了悼念太太太太太爷才叫的吗？为什么现在改了？

你这个古董！现在月圆之夜早就变成年轻小狼狂欢跳舞的欢乐节日了！

啊？差太远了吧！

所以你真是太落伍了！一点都不时尚！

怎么？怎么不圆了……

我！好！想！叫！

孩子们！

都没人陪我玩……

还有，灰太狼也有可能对月亮动手脚，所以你们还要阻止他搞破坏。

我有事不明白呀。

什么事？

为什么他那么有精神。

啦啦啦啦！

唉，大概懒羊羊跟别的羊生活规律是相反的。

这次防备灰太狼的行动，看来要靠他了。

老婆，不如我们把月亮补成天天都圆满的样子。

很久都没有对着月亮狂嚎了，我快要患上忧郁症了。

真的？

对！这样你就可以每天嚎叫，精力旺盛、体力充沛了！

那你还不赶快！

是！

哈哈哈哈！

哈哈哈，这就是我新发明的天狼补月炮！

他在搞什么呀？

先看看再说吧！

搅一搅！
搅一搅！

颜色不行嘛！

把月亮补得一块白一块黄的多难看！

对了！加点金色！

38

我灰太狼是不会轻易放弃的。

哎哟——

为了老婆，吃点苦算什么！

用皮筋来发射！

不错，不错，有希望。

哎呀！不要发射我！

老婆，我要向你证明我的爱意！

这次我用巨大的飞盘，把残缺的月亮盖住！这样你就随时可以看见"满月"了！

月圆的夜晚，你总是精力充沛啊！

灰太狼，你这个大笨蛋。

你们这群笨羊想干什么？不怕我吃了你们！

警告你，不要乱动月亮！

嘿!

哼，看我今天把月亮补圆，明天就可以抓你们吃了!

你们就等着瞧吧!

哎呀，你这只笨狼，你这飞盘的方向不太对……

哎哟! 妈呀!

怎么会这样?

方向测好了！准备发射！

啊？！

再见了，灰太狼。

懒羊羊，我不会放过你的。

村长，其实灰太狼的想法也挺好的嘛！

怎么？

他要把月亮弄成每天都是圆的呢，多漂亮啊！

没有阴晴圆缺的月亮，不符合宇宙运行的规律。灰太狼不懂得这个道理。

46

你看这是什么！

《神奇捕羊法》？！

这个……是菜谱吗？

你这只蠢狼就知道吃！这是根据对捕羊者的体型、血型等进行多种科学分析而写成的捕羊秘诀。

老婆，我们是血统优良的狼族，要这本破书干吗？

你懂什么！根据我对这本书的初步了解，里面的内容很正确，不信你看。

而且有暴力倾向，喜欢对老公拳打脚踢。

B型血——对于喜爱的东西无法抵抗，总会想尽办法将它买回家……

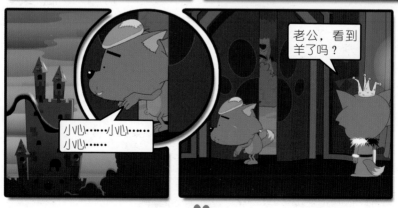

看到了！可是没抓到！

你肯定没有按书上说的去做！

你以后就按照这本《神奇捕羊法》的指示来做，一定会抓到肥羊的！

我都听你的！

两天后 ● ● ● ● ●

书上说，羊今天会去地下室。

我就说那本书不靠谱吧！

怎么了？

我就说今天看见那只猫有问题！

书上说猫和狗是羊的好朋友，它们会为羊发出警报。一定是猫通风报信！

好友

这么说，今天抓不到羊是因为猫的原因了！

啊——嚏——

你看我干吗？

现在是下午三点！下午三点，你打喷嚏。

什么意思？

有这么说的吗？

现在我怀疑你偷吃了羊，我决定，你今晚不用吃饭了！

肯定是饮食问题，书上说自私的狼偷吃了羊，鼻孔积聚羊毛，就会打喷嚏！

啊？！可是老婆……我肚子"咕噜咕噜"响。

大家藏好，我该开始抓了！

我们要去躲起来啦！

哈哈，书中所推算的地点就是准确！这几只小肥羊一会儿就要进我的肚子了。

嘿嘿嘿嘿……

可……可我这个样子怎么去抓羊？

你懂什么！你是五短身材，书上让你装成狗，所以必须画狗的图案！

我可是有狼族的贵族血统！没想到竟会有一天装扮成狗！

先抓到羊再说！

我来啦！

懒羊羊！我看见你啦！

刚才那个角色我演得很认真哦！是不是应该奖励我！

村长，你刚才没有看见灰太狼的样子真可怜啊！很惨哦！

我们应该感谢美羊羊，是她想到了编出《神奇捕羊法》来击垮他们！

没想到会有这么大作用！

被闪电击中。

遇见黑猫……

我想……他怎么也想不到，这些"意外"都是我们布置好的！

我就知道……我就知道……这几次来羊村总是被肥羊们修理，果然有问题！

幸好我跟过来！哼，什么《神奇捕羊法》！害得我以为真的很灵验……

不行，我要把这件事赶快告诉老婆！

老婆！我们上当了！

什么上当了？

那本《神奇捕羊法》是小肥羊专门用来骗我们的！

你是不是抓不到羊，就找这种借口？

是真的，是我亲耳听到！

都是那本书惹的祸！

好，你们写《神奇捕羊法》，我就写个《防狼一百招》。

《防狼一百招》真是天赐宝物！

对啊，如果照这本书上说的去做，我们就不用担心灰太狼来我们村子捣乱了！

让我看看今天的运势……

啊！妖怪，快出去！

看我的绝招！

哎哟……

老婆，我是灰太狼！

胡说八道，你一定是传说中的水怪！

啊！打扮打扮，我可真美啊！呵呵……

老婆，我又失败了。

闭嘴！

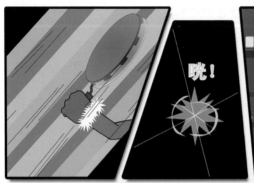

咣!

老婆……意外啊！好晕……好晕……

哼，一边去，别妨碍我打扮。

老婆，那羊肉呢？

还敢惹我！

嗯，老婆，煮好开水等我……

哼，抓到羊再说。

啊……没想到我的发明还能这么好看！

蝴蝶飞吧，把我的美餐带回来！

嘿嘿，爱美的小肥羊！蝴蝶结你总喜欢了吧！

现在我才发现，蝴蝶原来是这么漂亮！嘻嘻……

这个，还有上面的那个！

来，给您看看！

太太，需要点什么？

我怎么又不喜欢了呢……

不喜欢！不喜欢！

哎呀，太太您别都丢了啊！

破烂玩意儿，就没有好一点的东西了吗？

太太，这是今年最流行的蝴蝶款式。

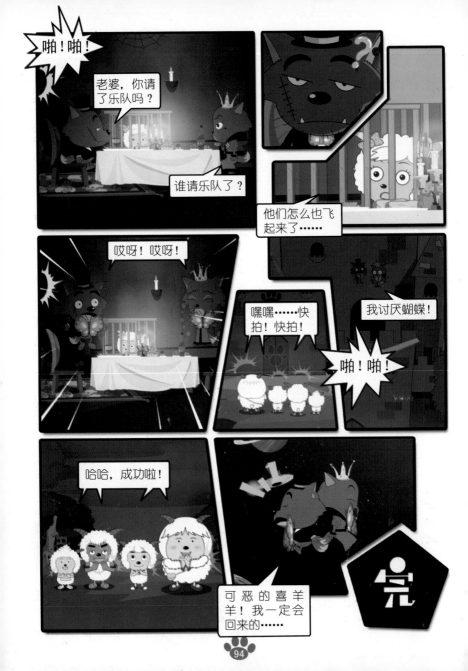

图书在版编目(CIP)数据

喜羊羊与灰太狼. 12，寻宝记 / 童趣出版有限公司编.
—北京：人民邮电出版社，2007．9
ISBN 978-7-115-16746-0

Ⅰ．喜… Ⅱ．童… Ⅲ．动画：连环画—作品—中国—现代 Ⅳ．J228．7

中国版本图书馆CIP数据核字（2007）第135977号

喜羊羊与灰太狼12
寻宝记

出 版 人：侯明亮
图书策划：范 萍
责任编辑：田 玥
封面设计：王 菡
责任印制：谢敬宁 李茗
根据广州原创动力动画设计有限公司制作的动画片改编　www.22dm.com

出版发行：童趣出版有限公司编
　　　　　人民邮电出版社出版
地　　址：北京东城区交道口菊儿胡同7号院（100009）
印　　刷：北京画中画印刷有限公司印制
经　　销：新华书店总店北京发行所
开　　本：787×1092 1/32
印　　张：3
版　　次：2007年9月第1版 2009年3月第9次印刷
字　　数：75千
书　　号：ISBN 978-7-115-16746-0/G
定　　价：10.00元

www.childrenfun.com.cn
读者热线：010-84180588
经销电话：010-84180552

喜羊羊与灰太狼
Pleasant Goat and Big Big Wolf

···◀ **独家预告** ▶···

灰太狼在祖先的遗物中，找到了一个能令人行为改变的锤子。他本以为可以使最聪明的喜羊羊变成最愚蠢的羊，不想这个锤子只能令人性格相反！灰太狼已经大难临头，不知道他最后怎样才能逃过这一劫？